P R I M I R A C
letture graduate p

Mistero in Via dei Tulipani

Cinzia Medaglia

EDI LINGUA

www.edilingua.it

A1-A2
elementare

Cinzia Medaglia vive a Milano ed è laureata in Lingue e Letterature straniere. Ha insegnato in diversi tipi di scuole (da corsi serali a licei prestigiosi). Attualmente insegna lingua straniera in un liceo e scrive per l'editoria scolastica e non scolastica. È autrice di diversi libri e racconti d'italiano per stranieri.

© **Copyright edizioni Edilingua**
Sede legale
via Paolo Emilio, 28 00192 Roma
info@edilingua.it
www.edilingua.it

Deposito e Centro di distribuzione
via Moroianni, 65 12133 Atene
Tel. +30 210 57.33.900
Fax +30 210 57.58.903

I edizione: dicembre 2009
ISBN: 978-960-693-013-3 (Libro)
ISBN: 978-960-693-015-7 (Libro + CD audio)
Redazione: Laura Piccolo, Antonio Bidetti
Impaginazione e progetto grafico: Edilingua
Illustrazioni: Gianluca Cerritelli
Registrazioni: Larione Multistudio Sas, Grassina (Firenze)

*Ringraziamo sin da ora i lettori e i colleghi che volessero farci
pervenire eventuali suggerimenti, segnalazioni e commenti.
(da inviare a redazione@edilingua.it)*

Legenda dei simboli

Fai gli esercizi 1-6 nella sezione *Attività*   Ascolta la traccia n. 9 del CD audio

Indice

Indice delle tracce del CD audio

Chi non ha il CD audio può scaricare le tracce 9-14 dal
nostro sito www.edilingua.it alla sezione *Primiracconti*.

Premessa

La collana *Primiracconti* nasce dalle sempre più frequenti richieste da parte degli studenti di leggere "libri italiani". Tutti sappiamo però quanto ciò sia difficoltoso, soprattutto per studenti di livelli non avanzati; si è pensato quindi di realizzare racconti graduati che potessero da una parte soddisfare il piacere della lettura con un testo narrativo non troppo esteso né difficile da comprendere e dall'altra offrire un mezzo per raggiungere una maggiore conoscenza della lingua e della cultura italiana. Ogni racconto, infatti, è corredato da attività mirate allo sviluppo di varie competenze, in particolare quelle legate alla comprensione del testo e al consolidamento del lessico usato nel racconto, un lessico che comprende, non di rado, anche espressioni colloquiali o gergali molto diffuse in Italia, presentate sempre in contesto.

Il racconto è arricchito di vivaci disegni originali (presenti anche nella sezione delle attività) che, oltre ad avere una funzione estetica, sono stati pensati e realizzati per aiutare lo studente a raggiungere una maggiore e più completa comprensione del testo. Allo stesso scopo sono state inserite le note a piè di pagina, ben calibrate nel testo per non appesantirne la lettura.

Ciascun capitolo del racconto è introdotto da una o due brevi domande che hanno lo scopo non soltanto di collegare il nuovo capitolo a quello precedente, ma soprattutto di mantenere alta e viva la motivazione dello studente-lettore, il quale viene introdotto nell'intreccio degli avvenimenti che il nuovo capitolo andrà a svelare.

Mistero in Via dei Tulipani può essere usato sia in classe sia individualmente, così come le attività relative ad ogni capitolo possono essere svolte sia in gruppo sia dal singolo studente; da una parte, infatti, si fa riferimento alla lettura collettiva, sempre utile in classe in relazione a un testo narrativo; dall'altra si offre l'occasione unica di una lettura individuale, importante tanto per un eventuale e successivo lavoro in classe, quanto, e soprattutto, per lo studente nel suo percorso di studio dell'italiano.

Tutti i volumi della collana *Primiracconti* sono accompagnati da un cd audio, con la lettura a più voci del testo eseguita da attori professionisti. Il cd audio è importante non solo perché offre delle interessanti attività di ascolto, ma anche perché fornisce allo studente l'opportunità di ascoltare la pronuncia e l'intonazione corretta del testo, cosa quanto mai importante ai primi livelli e sicuramente sempre gradita.

Buona lettura!

> *Ascolti spesso la musica? Quale genere ti piace?*
> *Di solito, la ascolti a basso o ad alto volume?*

Venerdì sera

È sera. Una sera di primavera. – Finalmente a casa – dice Giacomo e mette la bicicletta vicino al portone del palazzo in Via dei Tulipani. È qui che abita.

Ogni martedì e venerdì, Giacomo va agli allenamenti di calcio. La sua squadra si allena in un campo vicino a casa sua, e lui va e torna in bicicletta.

– Ciao, Giacomo – lo saluta una ragazza che arriva in quel momento.

– Ciao, Simona.

Simona è una ragazza alta e snella[1], con i capelli castani e gli occhi blu.

«Quanto è bella...» pensa Giacomo.

Ogni volta che la incontra, non sa cosa dire e cosa fare. La guarda e sorride come uno stupido. Giacomo ha sedici anni, ma è molto timido e ancora non sa bene come comportarsi con le ragazze.

Per fortuna, lei parla tanto.

– Sono andata a comprare il caffè al supermercato qui davanti – sta dicendo.

– La mamma lo ha dimenticato. Ho fatto appena in tempo. Sono arrivata alle otto meno dieci, e il supermercato chiude alle otto.

Giacomo vede un cartello davanti all'ascensore: "Fuori servizio".

---

1. *snella*: magra.

FUORI SERVIZIO

– È di nuovo rotto. Dobbiamo andare a piedi – dice.
broken again we have to go by foot she says
I due salgono le scale.
climb the stairs

– Senti com'è forte questa musica! – dice Simona.

– Sì, è a volume da discoteca. Sicuramente viene dall'appartamento del signor Cassi. Lui ascolta sempre la musica ad alto volume.

– Forse quando era giovane, era un discotecaro[2].

– Tu credi? – chiede Giacomo dubbioso[3]. Pensa al signor Cassi: un uomo piccolo e magro, con la faccia sempre grigia e continua:

– Sembra uno che non è mai stato giovane. E poi, ai suoi tempi, c'erano le discoteche? – dice per scherzo.

– Ma certo! Sembra vecchio, ma non lo è. La mamma ha detto che ha non più di cinquant'anni.

Adesso i due ragazzi sono al secondo piano, proprio davanti all'appartamento del signor Cassi. Dal suo appartamento esce la musica di una canzone di Gloria Gaynor.

Giacomo e Simona abitano al terzo piano: Simona con sua mamma e il fratellino Federico, Giacomo con i suoi genitori.

Giacomo saluta Simona ed entra in casa.

– La cena è pronta – dice la mamma di Giacomo.

Il giovane si siede al tavolo con la sua famiglia.

– Questa musica terribile! – si lamenta[4] la mamma – Oggi non smette più...

– Ti dà fastidio? – chiede Giacomo.

---

2. *discotecaro*: uno che ama e va spesso in discoteca.

3. *dubbioso*: non sicuro.

4. *lamentarsi*: dimostrarsi scontento, non soddisfatto.

– Sì, è troppo alta. Anche tutti i nostri vicini lo dicono.

– E il signor Cassi lo sa – commenta il papà. – L'amministratore[5] gli ha anche scritto una lettera. Gli ha chiesto di smettere con tutto questo rumore. Altrimenti avrà dei guai[6].

– E lui? – domanda Giacomo.

– Non ha neppure risposto.

Giacomo sta mangiando gli spaghetti che la mamma ha portato in tavola quando il papà gli chiede:

– Giacomo! Dove hai messo la bicicletta?

– Mmmh... giù... vicino al... portone.

– Sai che i vicini si lamentano se vedono biciclette o motociclette vicino al portone!

– Lo so.

– Allora finisci di mangiare e vai, per favore!

Ore otto e quaranta: Giacomo esce dall'appartamento.

Scende le scale, passa davanti all'appartamento del signor Cassi.

Adesso c'è soltanto silenzio.

«Per fortuna ha spento lo stereo» pensa Giacomo.

Esce dal portone, prende la bicicletta e la porta nel garage.

Rientra e sale le scale. Nel silenzio del palazzo sente una porta che si apre e si chiude. Al secondo piano passa di nuovo davanti all'appartamento del signor Cassi e vede la porta aperta.

– Che strano – dice Giacomo tra sé. Ma strano è anche il signor Cassi, perciò non ci pensa più.

1-6

---

5. *amministratore*: persona che si occupa di amministrare, cioè di prendersi cura di un condominio (insieme di appartamenti).

6. *avere dei guai*: avere dei problemi.

*La porta del signor Cassi è aperta e non si sente più
nessun rumore. Cosa è successo secondo te?*

Sabato mattina

Oggi è sabato, e Giacomo non va a scuola perché c'è lo sciopero
dei professori. Così dormirà almeno fino alle dieci. Ma... ma
oggi c'è qualcosa di diverso. Oggi sua madre entra in camera sua alle
otto meno dieci.

– Giacomo, Giacomo – lo chiama.

Giacomo sta sognando: è un giocatore di pallone di una squadra famosa e si trova in un grande stadio. Questa è una partita importante. C'è tanta, anzi tantissima gente. E lui... sta segnando un
goal[1]. Tutt'intorno il pubblico grida il suo nome: Giacomo
Giacomo Giacomo.

Apre gli occhi. No, non è il pubblico che grida il suo nome,
è sua mamma.

– Giacomo Giacomo! – ripete – Svegliati!

– Perché? Cosa succede? – chiede Giacomo che adesso è
sveglio.

– Perché è successa una brutta cosa. – Sua mamma lo
guarda e non parla. Sembra molto turbata[2].

– Che cosa?

– È... è morto il signor Cassi. Dicono che... lo hanno ucciso.

– Quando?

---

1. *sta segnando un goal*: sta facendo, fa un goal.
2. *turbata*: scossa, sconvolta, preoccupata.

– Forse ieri sera, o di notte, non lo sanno ancora.

«Povero signor Cassi!» pensa Giacomo.

– Hanno già qualche sospetto³? – domanda Giacomo.

La mamma però non ha il tempo di rispondere perché suonano alla porta.

– Devono essere i poliziotti. Vanno in tutti gli appartamenti a fare domande.

Infatti, fuori dalla porta ci sono due poliziotti: uno giovane, l'altro più anziano⁴.

– Avete qualche informazione per noi? Qual-che sospetto? – chiede quello più giovane.

– Sì – risponde Giacomo e racconta della sera prima. La musica alta, la biciclet-ta, il rumore della porta che si chiudeva, la porta del signor Cassi aperta.

– Mmmh, un rumore di una porta che si chiude. Può essere la porta di un altro appartamento – dice il poliziotto più giovane.

– Quindi l'assassino può essere uno del pa-

---

3. *sospetto*: detto di qualcuno che è forse colpevole,
   responsabile di un reato.

4. *anziano*: vecchio.

lazzo? – chiede l'altro poliziotto.

– Uno dei nostri vicini! – esclama la mamma – Oh, Dio!

– Signora, non si allarmi! Sono solo supposizioni. Le indagini[5] sono appena cominciate.

Se ne vanno. Giacomo si veste ed esce subito.

– Devi essere a casa per mezzogiorno. Papà torna dal lavoro a quell'ora oggi – gli dice la mamma.

Giacomo è in giardino con il pallone. Ci sono due macchine della polizia. Ci sono anche tante persone. I soliti curiosi[6] che vogliono vedere cosa è successo.

Giacomo sta nel giardino con il pallone in mano; non vuole giocare, vuole solo sentire che cosa dicono i poliziotti.

Escono ed entrano, parlano tra loro, e Giacomo riesce a sentire un discorso interessante:

– I vicini di casa mi sembrano tutte persone tranquille – dice il poliziotto più anziano. – Dobbiamo seguire la pista delle amicizie del signor Cassi. Aveva amici poco raccomandabili[7]!

– Sono d'accordo con te – conferma l'altro.

7-9

---

5. *indagini*: la ricerca del responsabile di un crimine da parte, in genere, della polizia o di un detective.

6. *curioso*: persona che vuole sapere, indagare, conoscere.

7. *poco raccomandabile*: non onesto.

I poliziotti vogliono seguire la pista delle amicizie del signor Cassi. Secondo te, Giacomo è d'accordo?

Sabato mezzogiorno

Giacomo torna a casa. È arrabbiato. – Allora non mi credono? Forse pensano: «Il ragazzo si è inventato[1] la storia della porta per farsi importante».

Mentre sale le scale sente la voce della mamma: sta parlando con la loro vicina di casa, la signorina Valle.

La signorina Valle sa sempre tutto di tutti. Abita da sola nel suo appartamento del secondo piano e passa la giornata a osservare i vicini.

Giacomo si ferma ad ascoltare quello che sta dicendo alla mamma:

– Ho trovato io il signor Cassi. Mi sveglio sempre presto di mattina perché dormo poco. Sa, alla mia età... Sono uscita per portare fuori il cane. E... oh, ma chi sono quelli? – la signorina guarda curiosa verso la scala.

Due uomini stanno salendo.

– Non sono poliziotti, vero? – dice la signorina Valle che fa un grande sorriso. – Uno di loro ha una telecamera. Quelli sono giornalisti!

Ha ragione. Sono proprio giornalisti. Chiedono se le possono intervistare.

La signorina Valle risponde – Sìììì – e aggiunge – È sempre stato il mio sogno andare in televisione!

La signorina Valle parla tanto. Dice che ha trovato il corpo di mattina

---

1. *inventarsi*: immaginare e dire cose false e irreali.

presto. È passata vicino alla porta aperta, ha chiamato il signor Cassi ad alta voce, ma lui non ha risposto. Allora è entrata.

– È stata molto coraggiosa – le dice il giornalista. Lei sorride timida.

– Ma no, ma no... – e poi pronuncia[2] la sua frase classica, quella che ripete sempre: – Alla mia età e poi sa...

Ma Giacomo non ascolta più. La signorina Valle parla e parla, ma non sa niente.

In quel momento arriva Simona. È uscita adesso di casa.

– Hai sentito? – le dice subito Giacomo.

– Sì, povero signor Cassi!

– Già.

– La polizia ha dei sospetti?

– Sì, sospettano degli amici del signor Cassi. Però io non ne sono convinto[3].

– Cosa vuoi dire?

– Vieni, ti racconto una cosa!

Simona segue Giacomo nel suo appartamento in camera sua.

La mamma è sorpresa: mai prima Giacomo aveva portato a casa una ragazza!

«Mio figlio è così timido» ha sempre pensato.

Giacomo racconta a Simona cosa ha sentito la sera prima.

---

2. *pronunciare*: dire.
3. *convinto*: sicuro.

– Quindi, secondo te, è stato uno dei nostri vicini a uccidere il signor Cassi – dice la ragazza.

– Sì, è quello che penso.

– Bene, lo hai detto alla polizia. Adesso tocca a loro[4].

– Ma i poliziotti stanno seguendo un'altra pista[5]!

– E quindi, cosa vuoi fare?

– Voglio indagare.

– Indagare? Tu? Da solo?

– Con te, se vuoi.

– Oh, sì. Ho sempre sognato di fare la detective.

Il piano di Giacomo è semplice: prima di cena lui e Simona andranno nell'appartamento di tutti i vicini. Chiederanno dello zucchero. Diranno che stanno facendo una torta, ma che si sono accorti[6] che è finito lo zucchero. Con questa scusa potranno entrare nell'appartamento dei vicini e parlare con ognuno di loro.

– E secondo te, diranno qualcosa di utile?

– Speriamo!

– Bene, sono con te. Quando ci vediamo?

– Alle sei e mezzo.

– Ok.

Giacomo l'accompagna alla porta. La guarda.

– C'è ancora qualcosa che vuoi dirmi? – chiede lei.

«Sì, sei bellissima, sei la ragazza più bella del mondo. Usciamo insieme?» pensa Giacomo, ma risponde:

– No, niente.

10-15

---

4. *tocca a loro*: devono agire loro.
5. *seguire una pista*: andare dietro a qualcuno o a qualcosa.
6. *accorgersi*: vedere, capire.

Giacomo e Simona fanno i detective. Sai qual è la parola italiana per "detective"? Anche tu sei affascinato da questa professione? Quali altre professioni ti piacciono?

Sabato, tardo pomeriggio

S ono le sei e trenta. Simona è a casa di Giacomo. – Andiamo in tutti gli appartamenti. Tutti sono sospettati. A parte noi e le nostre famiglie, naturalmente, e la signorina Valle.

– Perché la signorina Valle no?

– Perché parla troppo e anche perché... sai com'è morto il signor Cassi?

– No.

– Qualcuno lo ha colpito con un oggetto contundente[1]. Bisogna avere forza per fare una cosa del genere.

– Quindi non può essere una donna.

– Sì, una donna sì, ma non la signorina Valle. Pesa sì e no cinquanta chili.

– Hai ragione – dice Simona.

– Allora rimangono questi... – Giacomo fa vedere a Simona un foglietto con il piano del palazzo.

– Cominciamo dal primo piano, – dice Giacomo – qui abita il dottor

---

1. *oggetto contundente*: oggetto che può servire a colpire.

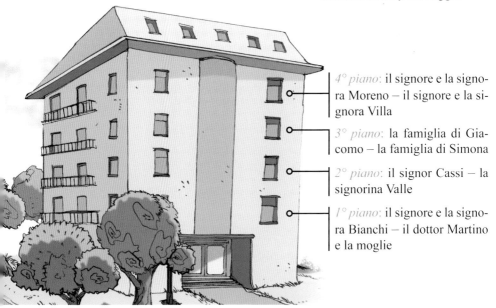

4° piano: il signore e la signora Moreno – il signore e la signora Villa

3° piano: la famiglia di Giacomo – la famiglia di Simona

2° piano: il signor Cassi – la signorina Valle

1° piano: il signore e la signora Bianchi – il dottor Martino e la moglie

Martino.

I due ragazzi suonano il campanello della porta del dottore. Un uomo alto con i capelli grigi va ad aprire.

– Buona sera. Cosa posso fare per voi? – chiede gentilmente.

– Stiamo preparando un dolce – dice Giacomo – ma all'ultimo momento ci siamo accorti che non abbiamo lo zucchero. Ce ne può prestare un po'?

– Certamente, entrate pure. Voi abitate al terzo piano, vero?

– Sì, sopra all'appartamento del signor Cassi – risponde Giacomo che vuole portare il discorso² proprio su quello.

– Oh, sì... il signor Cassi. Che cosa terribile!

– Lei lo conosceva? – chiede ancora Giacomo.

– No, ma so che faceva sempre tanto rumore.

– Anche ieri – commenta Simona.

– Ieri non ero a casa – dice il dottore. – Come ho detto anche alla polizia, ero in ospedale per il turno³ di notte...

---

2. *portare il discorso su*: far parlare di...

3. *turno*: periodo del giorno in cui si lavora (ad esempio: un turno di otto ore).

– Franco, Franco – chiama una voce debole che viene da una camera in fondo al corridoio.

– Scusate. È mia moglie. Ecco! Prendete lo zucchero. Io devo andare da lei.

I due escono. Simona suona il campanello della porta dei Bianchi. La signora arriva quasi subito.

– Ah! – esclama con un grande sorriso. – I nostri deliziosi vicini.

Li invita ad entrare. Indossa un abito corto che lascia scoperte due gambe bellissime.

– A cosa devo questa visita? – chiede.

– Mmh – risponde Giacomo imbarazzato – noi... zucchero... signora, abbiamo bisogno di un po' di zucche-ro. Per una torta che stiamo facendo.

– Ah, capisco. Ve lo porto subito, ra-gazzi.

Torna dalla cucina con un pacchetto in mano. Simona lo prende e dice:

– Ha un appartamento tranquillo.

– Sì, io e mio marito lo abbiamo voluto sul cortile e non sulla strada – risponde lei – io non sopporto il rumore.

– Neppure io – dice prontamen-te Giacomo. – Quando il signor Cassi faceva tutto quel rumore...

– Oh sì, tutto quel terribile rumo-re! – commenta lei e li accompa-gna alla porta.

Adesso Simona e Giacomo sono al quarto piano, alla porta dell'ap-

partamento della famiglia Moreno.

Quando Simona suona il campanello è la signora che apre la porta: è una donna di circa quarant'anni un po' robusta.

– Cosa volete? – chiede poco gentilmente.

– Ci scusi se la disturbiamo, signora – risponde Simona e ripete la solita scusa[4] della torta.

– Sì sì... – la interrompe la donna – Entrate!

I due ragazzi sono nell'appartamento. È molto disordinato. Due bambini piccoli corrono tra le poltrone del salotto. La signora Moreno entra in cucina.

– Cosa succede qui? – chiede una voce di uomo. È il signor Moreno.

Cammina a grandi passi. Non è alto, ma sembra grande e grosso perché ha le spalle larghe e grandi muscoli.

Quando vede i due ragazzi, si mostra sorpreso.

– Oh – esclama, – una bella signorina in casa mia... che piacere! – E poi li invita a sedersi.

Intanto la signora Moreno sta portando lo zucchero in un bicchiere di birra.

– Allora, come va, ragazzi? – chiede l'uomo e si siede anche lui.

– Non molto bene dopo quello che è successo – risponde Giacomo che, così, porta subito il discorso sull'omicidio.

– Ah sì, certo... il signor Cassi. Eh sì, un morto è sempre una brutta cosa.

– Già, e pensare che io sono una specie di

---

4. *scusa*: un argomento, un motivo per nascondere la verità.

testimone[5] – dice il ragazzo e guarda il signor Moreno dritto negli occhi.

– Tu ... testimone? – chiede l'uomo. – Cosa vuoi
dire?

– Voglio dire che ho visto qualcosa, o meglio, ho
sentito qualcosa.

– Sentito qualcosa?

– Sì, quella sera ho sentito un...

In quel momento uno dei bambini corre dal padre.
Piange e grida:

– Papà, papà... sono caduto, guarda il dito, ho rotto il dito... – e
continua a piangere.

I due ragazzi si alzano.

– Scusate, non vogliamo disturbare ancora – dice Simona.

– Sì, andiamo – aggiunge Giacomo che ha preso il bicchiere con lo
zucchero.

– Ne riparleremo! – dice il signor Moreno e guarda Giacomo serio.

Appena fuori, i due ragazzi parlano sottovoce.

– Il signor Moreno era molto curioso, – dice Simona, ma si corregge
subito – curioso non è la parola giusta, a me sembrava... preoccupato.
Molto preoccupato. Mi ha fatto paura quando ha detto: "Ne riparleremo!".

L'appartamento del signore e della signora Villa è sullo stesso piano di
quello dei signori Moreno.

Giacomo ha il dito sul campanello della porta quando Simona esclama:

– No, la signora Villa non c'è! È al mare con il figlio. Me lo ha detto la
mamma ieri. Lo avevo dimenticato.

– Ah, meglio così, un sospetto in meno – dice Giacomo.

16-20

---

5. *testimone*: persona che è a conoscenza di un fatto.

Chi è la persona più sospetta, secondo te? Perché?

Sabato sera

I ragazzi sono di nuovo nell'appartamento di Giacomo.
– Allora, cosa ne pensi? – chiede Simona.
– Il più sospetto è senz'altro il signor Moreno.
– E cosa mi dici della signora Bianchi. Ha certi occhi da pazza!
– A me sembrano più che altro da... gatta. Così grandi e verdi.
– No, no, no, proprio da pazza. Il fatto è che voi uomini non lo notate perché è una bella donna.
Giacomo vorrebbe dire: «Anche tu sei molto bella», ma, come sempre, non ne ha il coraggio e tace[1]. Continua invece a parlare del delitto:
– Escludo dalla lista il dottor Martino. Era in ospedale ieri sera. Lo ha detto anche alla polizia. Inoltre mi sembra un tipo molto tranquillo. Quindi rimangono: i signori Moreno e la signora Bianchi.
– Sono d'accordo.
– Comunque queste sono solo supposizioni. Non abbiamo ancora finito il nostro lavoro.
– E cosa possiamo fare?
– Io scendo in giardino e sto lì tutto il tempo necessario. Controllo la gente che entra ed esce. In giardino è buio.
Nessuno mi vedrà.
In caso mi apposto[2] dietro a un albero.
– Cosa pensi di vedere?

1. *tacere*: non parlare, stare zitti, in silenzio.
2. *appostarsi*: mettersi.

– Qualcuno che porta via l'arma del delitto[3]. La polizia non l'ha trovata. Deve essere ancora nel palazzo.

– Capisco. Quanto tempo hai intenzione di[4] restare lì?

– Tutta la notte, se è necessario.

– Ma sarà... noioso!

– Lo so, ma bisogna farlo. Cosa credi? Il lavoro dell'investigatore non è certo divertente. Anzi, è proprio così, ore e ore seduto ad aspettare, a... spiare...

– Io, se vuoi, posso...

– No, tu no! È noioso, ma anche pericoloso.

---

3. *arma del delitto*: l'oggetto (pistola, coltello o altro) con cui si commette un omicidio.

4. *avere intenzione di*: volere.

– Va bene, come vuoi. Ma, per favore, stai attento!

Simona prende la mano di Giacomo e la stringe tra le sue. E lui si sente dentro una strana sensazione, forte e dolce nello stesso tempo.

Vorrebbe darle un bacio, ma una vocina gli dice: «Non ancora, Giacomo, non è ancora il momento».

E Giacomo non fa niente.

– Vengo in giardino appena posso – dice Simona e se ne va.

Giacomo è in giardino da due ore. Sta seduto al buio, con gli occhi fissi sul portone. Sono quasi le nove e mezza quando: ecco Simona!

Al buio non riesce a vederlo. La chiama lui da dietro al grosso albero del giardino:

– Sono qui, Simona.

– Allora, qualche novità? – chiede lei.

– Sì, qualcosa di... sorprendente[5].

– Mezz'ora fa sai chi è venuto in giardino? Due persone che conosciamo: la signora Bianchi e il signor Moreno. Erano qui, insieme, che si abbracciavano.

– Non ci posso credere... Sono amanti quindi.

– Penso di sì. Sono stati in giardino almeno quindici minuti. Hanno parlato, ma a bassa voce, e io ho sentito soltanto qualche parola qua e là.

– Adesso devo andare. I miei genitori non sanno neppure che sono uscita. Tu cosa hai detto ai tuoi?

– Ho detto che andavo da un amico a studiare e rimanevo lì a dormire.

– Ah, ciao e... stai attento!

Lui rimane sotto l'albero nel silenzio del giardino e guarda l'orologio: sono le dieci.

«Sarà una lunga notte» dice tra sé e sé.

21-24

---

5. *sorprendente*: strano, che stupisce.

*Giacomo è in giardino. Prova a formulare delle
ipotesi su quello che sta per accadere.*

Sabato notte

Sono le undici. «È passata un'ora da quando se n'è andata Simona e nessuno è entrato o uscito dal palazzo» pensa Giacomo.

È mezzanotte. La signorina Valle è appena rientrata con il suo cane, Bebi.

Sono le dodici e mezzo e Giacomo comincia a sentirsi stanco.

È l'una. Giacomo è sempre più stanco. Gli si chiudono gli occhi.

Qualcuno sta uscendo dal portone del palazzo. Giacomo si alza in piedi. È il signor Moreno. Porta una borsa sportiva.

L'uomo va verso il fondo del giardino dove si trova il garage. Cammina lentamente e si guarda intorno.

Giacomo lo segue. Nel buio si sente sicuro: non può vederlo.

Il signor Moreno apre il portone del garage. Guarda nella borsa, poi porta una mano alla fronte.

«Ha dimenticato qualcosa» pensa Giacomo.

Infatti il signor Moreno lascia il portone del garage aperto e torna velocemente in casa.

Giacomo è in un angolo del giardino.

Il signor Moreno sta entrando nel palazzo. Giacomo va nel garage. La borsa del signor Moreno è a terra. Giacomo la apre. C'è una sola cosa dentro: una statuetta[1]. È grossa e pesante.

---

1. *statuetta*: una piccola statua, scultura, un piccolo oggetto.

«Questa può essere l'arma del delitto» pensa. Prende la borsa e corre verso il palazzo. È davanti al portone quando si trova un uomo davanti a lui. È il signor Moreno.

Non dice una parola. Senza perdere un secondo, colpisce Giacomo con un pugno[2] e il ragazzo cade a terra svenuto[3].

---

2. *pugno*: mano chiusa, con le dita strette.
3. *svenuto*: detto di chi ha perso conoscenza.

Giacomo riapre gli occhi. Non vede niente. È tutto buio. Cerca di alzarsi, ma non ci riesce.

È legato[4] mani e piedi. E non può neppure gridare perché ha la bocca chiusa da qualcosa, forse da dello scotch[5].

A poco a poco nel buio comincia a distinguere qualcosa: una macchina, degli scaffali, un... Adesso ha capito dove si trova!

«Mi ha chiuso nel garage!» pensa.

Poi sente una voce. È la voce del signor Moreno:

– Adesso ci facciamo un bel viaggio, ragazzino. Bello per me, forse non tanto bello per te.

Il signor Moreno ride, e la sua è una brutta risata, una risata cattiva.

Prende Giacomo per le spalle e lo solleva come un pupazzo.

– Così impari a spiare la gente, ragazzino – gli dice e lo mette dentro al portabagagli[6] della macchina.

Giacomo ha paura, tanta paura, ma non può fare niente lì chiuso in quel portabagagli. Può soltanto aspettare.

La macchina parte, si muove, poi si ferma.

Qualche secondo, e poi Giacomo sente dei rumori, delle voci e, subito dopo, la sirena delle macchine della polizia.

Finalmente qualcuno apre il portabagagli.

Un poliziotto aiuta il ragazzo a uscire e Giacomo si trova davanti...

25-28

4. *legare*: immobilizzare qualcuno, ad esempio con corde, per impedirgli di muoversi.
5. *scotch*: nastro autoadesivo.
6. *portabagagli (il)*: spazio situato sul retro dell'automobile per il trasporto dei bagagli, ma non solo.

Secondo te, come mai è arrivata la polizia?

Domenica mattina

Simona: è stata lei a chiamare la polizia.

Adesso sta raccontando tutta la storia a Giacomo e a un poliziotto:

– Era mezzanotte e mezza e non riuscivo a dormire. Pensavo a Giacomo. Solo, forse in pericolo. Mi sono alzata e sono andata alla finestra. Dalla mia finestra si vede il giardino, ma non il portone. Ho visto Giacomo correre attraverso il giardino con una borsa in mano. Subito dopo ho visto il signor Moreno. Andava verso il garage con un corpo sulle spalle. Ho capito che era quello di Giacomo! Vi ho subito telefonato e poi sono scesa. Ho visto il signor Moreno in macchina. Anche lui mi ha visto e ha gridato. È sceso dall'auto, e io sono corsa via. Poi per fortuna siete arrivati voi.

– E io sono salvo! – esclama Giacomo.

– Sei stato molto imprudente[1] – dice il poliziotto – Hai corso un grosso rischio[2].

– Sì, ma adesso abbiamo il colpevole.

– È troppo presto per dirlo, ragazzo. Adesso portiamo la statuetta in laboratorio. Dopodomani i risultati delle analisi ci potranno dire se il signor Moreno è veramente colpevole.

– Siete stati dei pazzi!!!

Questa è la voce del papà di Giacomo.

I ragazzi si voltano e vedono che i loro genitori sono lì e hanno sentito tutto.

---

1. *imprudente*: poco attento.
2. *correre un rischio*: andare incontro ad un possibile pericolo.

Sembrano molto arrabbiati.

Simona entra in casa e Giacomo non ha neppure avuto il tempo di dirle grazie.

Il giorno dopo è domenica. Sono le nove di mattina e ancora tutti dormono.

Ma no... non tutti. Giacomo è sveglio!

Anche se è andato a letto tardi, dopo una ramanzina[3] da parte dei genitori, alle otto era già in piedi.

Anche Simona è già in piedi. Ha subito mandato un sms.

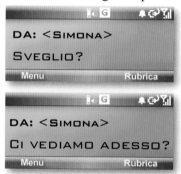

In giardino Giacomo e Simona si siedono sotto un albero.

– Sono vivo grazie a te – dice Giacomo a Simona. Lei sorride. Con dolcezza. La vocina parla a Giacomo e gli dice: «Adesso, adesso. È ora».

E Giacomo, finalmente, bacia Simona.

Giacomo e Simona salgono le scale. Quando passano davanti all'appartamento della signora Bianchi, la porta improvvisamente si apre.

– Oh, ragazzi... – dice lei – perché non entrate? Voglio parlarvi un secondo.

I due entrano nell'appartamento.

– Ditemi, cosa è successo ieri sera? Ho sentito tanto rumore...

---

3. *ramanzina*: lungo rimprovero (ad esempio: «non avresti dovuto...», «sei stato uno sciocco...» e così via).

Giacomo guarda per un attimo Simona prima di rispondere. Poi dice:

– È venuta la polizia. Hanno arrestato il signor Moreno.

– Il signor Moreno? E perché?

– Per l'assassinio del signor Cassi, lo hanno trovato con l'arma del delitto.

– Capisco. – La signora Bianchi è molto seria. Non sorride come fa sempre.

– E voi, che cosa c'entrate in tutto questo?

– È una lunga storia – dice Simona. – Adesso dobbiamo proprio andare.

– Se i nostri genitori si svegliano e non ci trovano, si preoccupano – aggiunge Giacomo.

– Ah ah... Non sanno che siete insieme... – fa lei.

Sono sulla porta, e qui la signora Bianchi fa l'ultima domanda:

– E della statuetta cosa ne hanno fatto?

«La statuetta??? Ma io non ho parlato di nessuna statuetta. Ho detto: arma del delitto» pensa Giacomo.

– Cosa c'è? – chiede la signora Bianchi che ha visto l'espressione di sorpresa di Giacomo.

– Niente, niente – risponde il ragazzo. – Adesso dobbiamo proprio andare, signora.

Ma la donna si mette davanti alla porta.

– Voi, adesso, non andate proprio da nessuna parte – dice.

«Ha capito!» pensa Giacomo e si avvicina alla signora Bianchi. Giacomo è ancora un ragazzo, ma è alto, più alto della donna.

– Ci faccia passare – dice.

La signora mette la mano in tasca e tira fuori una... pistola. La punta sui due ragazzi.

– Bene, adesso, da bravi bambini, fate quello che dico io. Andate in salotto!

«Ha una faccia terribile...» pensa Simona «fa veramente paura».

– Adesso sedetevi!

I due ragazzi si siedono.

– Cosa vuole fare? Se spara, tutto il palazzo sentirà...

– No, mio caro. La mia pistola ha il silenziatore[4]. Giacomo, tu sei proprio un bel ragazzo. Mi dispiace doverti sparare.

Giacomo cerca di prendere tempo. E il miglior modo per prendere tempo è ... parlare.

– Ma perché? Perché ci vuole sparare?

– Ah, lo sai benissimo. Il signor Moreno non ha ucciso nessuno. Sono stata io. Io ho ucciso Cassi. Lui sapeva della mia relazione con Moreno e voleva dire tutto a mio marito.

– Ma... il signor Moreno?

– Il signor Moreno è un vigliacco[5]. Uno di quelli che dice: «Io faccio,

---

4. *silenziatore*: strumento che serve per non far sentire il rumore degli spari.
5. *vigliacco*: detto di persona che non ha il coraggio di fare.

io qui, io là», ma non ne ha avuto il coraggio. Io sì, però. Ieri ero a casa, sola. Sono andata nell'appartamento del Cassi. Lui mi ha fatto entrare, mi ha detto: «Se lei è carina con me, posso anche farle uno sconto[6]». Io non ci ho visto più dalla rabbia[7], ho preso una statuetta da uno scaffale e l'ho colpito, l'ho colpito, l'ho colpito...

Adesso anche Giacomo si accorge che gli occhi della signora Bianchi sono strani, non occhi da gatto, ma occhi da pazza, come ha detto Simona.

Ma ormai è... troppo tardi.

La donna ha alzato la pistola verso Simona.

– Tu non mi piaci e non mi sei mai piaciuta.

– *Drin drin drin*

Qualcuno suona il campanello. La signora Bianchi gira la testa verso la porta. Giacomo non perde un secondo. Scatta in avanti e la getta a terra. Lottano[8] e lui riesce a toglierle la pistola di mano.

– *Drin drin drin* – il campanello suona ancora. Una voce dal di fuori:

– Signora Bianchi, sono la signorina Valle. Devo dirle una cosa.

Giacomo adesso è in piedi, con la pistola in mano puntata sulla signora Bianchi.

Simona apre la porta.

La signorina Valle è lì in piedi insieme al suo cane.

– Ha fatto i suoi bisogni qui, povero cagnetto... mi dispiace tan... – sta dicendo, ma poi si blocca. – Simona, cosa fai qui? – chiede.

Simona l'abbraccia.

– Oh, signorina Valle! – dice – Quanto sono felice di vederla!

Dieci minuti dopo la polizia è di nuovo nel palazzo di Via dei Tulipani.

29-31

---

6. *fare uno sconto*: far pagare meno.

7. *non vederci più dalla rabbia*: avere reazioni violente e incontrollate.

8. *lottare*: combattere corpo a corpo.

Epilogo
Un mese dopo

Nel palazzo di Via dei Tulipani la vita continua. Apparentemente[1] come prima.

Ma qualcosa è cambiato. Per Giacomo e Simona. Adesso
escono insieme. Sono felici e innamorati.

La vita è cambiata anche per la signora Moreno. Suo marito è in prigione, e lei se n'è andata da Via dei Tulipani.

Anche la signora Bianchi è in prigione e ci resterà per molti
anni.

Hanno trovato le sue impronte[2] sull'arma del delitto, ci
sono le testimonianze di Giacomo e Simona. Infine, anche
il signor Moreno ha ammesso che è stata lei.

La vita non è cambiata, invece, per una persona:
per la signorina Valle. Lei passeggia sempre con
il suo cane.

Non ci sono più poliziotti né giornalisti, nessuno
che fa domande. E lei si annoia e... aspetta.

Chissà che prima o poi non succeda qualcos'altro
in via dei Tulipani?

32-34

---

1. *apparentemente*: a giudicare da quel che si vede, dalla prima impressione.

2. *impronte (le)*: segni lasciati dai polpastrelli delle dita, quando si tocca qualcosa.

Indice delle attività

Attività

1. Cosa sappiamo di Giacomo? Indica quali di queste affermazioni sono vere e quali false.

	V	F
1. Abita in un villa.	☐	☐
2. Gioca a calcio.	☐	☐
3. Ha sedici anni.	☐	☐
4. È un ragazzo aperto e disinvolto.	☐	☐
5. Ha una bicicletta.	☐	☐
6. La sua fidanzata si chiama Simona.	☐	☐

2. Cosa invece sappiamo del signor Cassi? Completa.

Tiene spesso la (1)............................. molto alta così che disturba i suoi (2)..............................

È un uomo (3)............................. e magro con la faccia (4).............................

Sembra vecchio, ma non lo è. Non deve avere più di (5)............................. anni.

3. Come può essere la musica? Scegli gli aggettivi adatti.

☐ rumorosa   ☐ bassa   ☐ intelligente

☐ simpatica   ☐ gentile   ☐ bella

☐ alta   ☐ dolce   ☐ brutta

9 **4. Ascolta il brano e indica le parole e le espressioni NON presenti.**

1. primavera ☐
2. brutto tempo ☐
3. abitare ☐
4. lontano ☐
5. bicicletta ☐
6. giocare ☐
7. partita ☐
8. giovedì ☐

5. Trova l'intruso.

1. palazzo | appartamento | villa | scuola
2. cena | colazione | pranzo | caffè
3. musica | cinema | canzone | discoteca
4. amico | squadra | stadio | gol
5. bicicletta | casa | macchina | moto

6. Trova le domande a queste affermazioni.

1. ....

   Il supermercato chiude alle otto.

2. ....

   Abito al terzo piano.

Attività

3. ....

Il signor Cassi è un uomo piccolo e grigio.

4. ....

Sono andata al supermercato.

5. ....

Non ha più di cinquant'anni.

 7. Cerca l'errore. Ascolta la traccia audio che si riferisce al testo che segue e correggi i sei errori presenti.

Oggi è sabato, e Giacomo non va a scuola perché c'è lo sciopero dei mezzi. Così dormirà almeno fino a mezzogiorno. Ma... ma oggi c'è qualcosa di diverso. Oggi sua madre entra in camera sua alle otto meno dieci.

– Giacomo, Giacomo – lo chiama.

Giacomo sta dormendo: è un giocatore di pallone di una squadra famosa e si trova in un grande stadio. Questa è una partita importante. C'è tanta, anzi tantissima gente. E lui... sta sognando un goal. Tutt'intorno il pubblico grida il suo nome: Giacomo Giacomo Giacomo.

Apre gli occhi. No, non è il pubblico che grida il suo nome, è sua mamma.

– Giacomo Giacomo! – ripete – Svegliati!

– Perché? Cosa succede? – chiede Giacomo che adesso è sveglio.

– Perché è successa una bella cosa. – Sua mamma lo guarda e non parla. Sembra molto turbata.

– Che cosa?

– È... è morto il signor Cassi. Dicono che... ha avuto un incidente.

1. ....
2. ....
3. ....
4. ....
5. ....
6. ....

8. Inserisci i seguenti aggettivi: interessante, tranquillo, vecchio, sveglio, famoso.

1. Fabio sta sempre zitto. È un ragazzo molto ....
2. Il Milan è una squadra ....
3. Martino si è appena alzato. Adesso finalmente è ....
4. Il signor Giorgi ha 87 anni. È piuttosto ....
5. – Il film era veramente noioso. – Sì? Io, invece, l'ho trovato ....

9. Trova nel testo la parola giusta che corrisponde a queste definizioni.

1. Una persona che vuole sapere tutto. =

   C..

2. Le ore 12. =

   M..

3. Dove giocano le partite di calcio. =

   S..

4. Dire qualcosa a voce molto alta. =

   G..

10. Scegli la giusta alternativa.

1. Secondo Giacomo, i poliziotti non gli credono perché
   a) ☐ credono che sia uno sciocco.
   b) ☐ pensano che non dica la verità.
   c) ☐ non hanno parlato direttamente con lui.

2. La signorina Valle abita
   a) ☐ sola.
   b) ☐ con la famiglia di Giacomo.
   c) ☐ con la famiglia di Simone.

3. Il giornalista intervista
   a) ☐ la mamma di Giacomo.
   b) ☐ Giacomo.
   c) ☐ la signorina Valle.

4. La mamma di Giacomo è sorpresa perché
   a) ☐ Giacomo vuole indagare insieme a una ragazza.
   b) ☐ Giacomo ha invitato a casa una ragazza.
   c) ☐ Giacomo è interessato a una ragazza.

5. Insieme a Simona Giacomo vuole parlare
   a) ☐ con i vicini.
   b) ☐ con la signorina Valle.
   c) ☐ con i poliziotti.

11. Indica quali di questi verbi appartiene all'ambito del giornalismo e quali all'ambito della polizia.

indagare   riprendere con la telecamera   interrogare
intervistare   sospettare   scrivere

GIORNALISMO	POLIZIA

12. Inserisci i verbi adatti (ricorda di coniugarli!).

> invitare   alzarsi   dormire   raccontare
> essere   seguono   uscire

1. Giacomo .... Simona a casa sua. Vorrebbe ....
con lei, per esempio, andare al cinema o a mangiare una pizza.

2. I poliziotti .... una pista, ma secondo Giacomo non
.... quella giusta.

3. Giacomo .... ai poliziotti tutta la storia.

4. La signorina Valle .... presto perché .... poco.

13. Rispondi alle seguenti domande in modo personale.

1. Abiti da solo? O con la tua famiglia?

  ....

2. Abiti in un appartamento o in una villa/villetta?

  ....

3. Abiti in una città, in una cittadina o in paese?

  ....

4. Dove si trova la tua città (o cittadina), il tuo paese? *(nome della nazione o della regione)*

  ....

Attività

14. Ascolta il brano e completa con le parole mancanti.

Il (1)........................ di Giacomo è semplice: prima di (2)........................
lui e Simona andranno nell'appartamento di tutti i (3)........................
Chiederanno dello zucchero. Diranno che stanno facendo una (4)........
.... ma che si sono accorti che è finito lo zucchero. Con questa
(5)........................ potranno entrare nell'appartamento dei vicini e parlare con (6)........................ di loro.

15. Invito al cinema. Riordina queste frasi in modo da formare un dialogo.

☐ a. Alle 19.30. Posso venirti a prendere alla sette, se ti va bene.

☐ b. Mmh. È meglio giovedì sera. Che film andiamo a vedere?

☐ c. Allora dopodomani.

☐ d. Quando?

☒1 e. Cosa ne dici di andare al cinema?

☐ f. Domani sera.

☐ g. No, mi dispiace. Domani, non posso.

☐ h. Pensavo a *Titanio*.

☐ i. Ah, sì. Deve essere bello. A che ora comincia lo spettacolo?

☒10 l. Benissimo. A giovedì, allora.

16. Ti ricordi le caratteristiche dei vicini che Giacomo e Simona vanno a trovare?

Il dottor Martino lavora in (1)............................ Abita con la (2)...................

.... La signora Bianchi è molto (3)............................ Abita con suo (4)....

.... Non sopporta il (5)............................

Nel terzo appartamento abita la famiglia Moreno. Lei è una donna mol-

to (6)............................ Il signor Moreno è grande e (7)............................ .

17. Trova l'intruso.

1. (primo piano) (pianterreno) (casa) (strada)

2. (vicino di casa) (ospedale) (clinica) (dottore)

3. (zucchero) (sale) (torta) (pepe)

4. (campanello) (parco) (porta) (appartamento)

5. (giardino) (cucina) (salotto) (camera da letto)

18. Abbina le frasi.

1. Cosa posso fare per voi?	a. Molto bene, grazie.
2. Cosa succede qui?	b. Niente, vogliamo solo salutare.
3. Ci può prestare dello zucchero?	c. Il bambino fa rumore perché sta giocando.
4. Non vorrei disturbare.	d. Non c'è problema.
5. Allora, come va?	e. Volentieri.

19. Indica il verbo giusto.

1. Il bambino .... per terra. ☐ rompe ☐ cade ☐ grida

2. È .... un incidente. ☐ successo ☐ caduto ☐ fatto

3. Giorgio .... 50 chili. ☐ pende ☐ ha ☐ pesa

4. Marina .... poca forza. ☐ è ☐ pesa ☐ ha

(12) **20. Ascolta la traccia audio. Le parole che senti sono tutte presenti nel testo. Ma alcune non hanno le doppie giuste. Quali?**

1. Ragazi ☐
2. Campanello ☐
3. Dottore ☐
4. Griggi ☐
5. Abbiamo ☐
6. Zuchero ☐
7. Appartamento ☐
8. Teribbile ☐

21. Rispondi alle seguenti domande.

1. Chi sospettano Giacomo e Simona?

2. Che cosa fa Giacomo?

3. Dove si apposta?

4. Simona dice che è noioso. Giacomo è d'accordo?

5. Giacomo bacia Simona?

6. Chi scende in giardino dopo due ore?

7. Perché risale subito?

8. Che cosa ha visto Giacomo in queste due ore?

22. Trova il sinonimo.

1. omicidio	a. entrata
2. lista	b. individuo
3. albero	c. delitto
4. portone	d. elenco
5. persona	e. pianta
6. investigatore	f. detective

23. Abbina l'aggettivo al suo contrario.

1. divertente   a. agitato
2. tranquillo   b. pericoloso
3. sicuro   c. amaro
4. pazzo   d. debole
5. forte   e. noioso
6. dolce   f. sano di mente

1. .... 2. .... 3. .... 4. .... 5. .... 6. ....

24. Molto bella/o. Rispondi alla seguente domanda in modo personale.

Giacomo pensa che la signora Bianchi sia molto bella. Ha gli occhi verdi, i capelli biondi, è snella e ha le gambe lunghe. E tu?

Per le donne: Come immagini un uomo molto bello?

♂ _____

Per gli uomini: Come immagini una donna molto bella?

♀ _____

25. a. Metti gli eventi che accadono in questo capitolo nel giusto ordine cronologico.

☐ a. Il signor Moreno va nel garage, lo apre ma torna subito indietro.

☐ b. Giacomo prende la borsa e corre verso il palazzo.

☐ c. All'una il signor Moreno esce dal palazzo.

☐ d. Infine mette Giacomo nel portabagagli.

☐ e. Il signor Moreno colpisce Giacomo e lo porta nel garage.

☐ f. Giacomo entra nel garage e trova la borsa del signor Moreno.

b. Fortunatamente Giacomo si salva. Chi interviene?

....

26. a. Trova il contrario dei seguenti aggettivi.

1. magro ....   4. pesante ....

2. bello ....   5. cattivo ....

3. chiuso ....

b. "Cade a terra svenuto" significa:

☐ addormentato   ☐ morto   ☐ senza conoscenza

27. Abbina il verbo con il giusto sostantivo.

1. fare	a. gli occhi
2. portare	b. delle voci
3. perdere	c. una borsa
4. chiudere	d. un viaggio
5. sentire	e. un secondo

(13) 28. Ascolta il brano e completa le frasi (max 4 parole).

1. È mezzanotte. La signorina Valle ....
.... con il suo cane Bebi.

2. Sono le dodici e mezzo e Giacomo ....
....

3. È l'una. Giacomo è sempre più stanco. Gli
....

4. Qualcuno sta uscendo dal portone del palazzo.
Giacomo si alza in piedi. È il signor Moreno.
....

5. L'uomo va verso il fondo del giardino dove
....
Cammina lentamente e si guarda intorno.

6. Giacomo lo segue. Nel buio si sente sicuro:
....

29. Scrivi per ogni disegno quello che succede.

1. Simona ....

2. Simona ....

3. Simona e Giacomo ....

4. Il giorno dopo Giacomo ....

5. Giacomo e Simona ....

    e qui si ....

30. Completa con le parole mancanti.

1. Quando Simona e Giacomo salgono nell'appartamento, la signora Bianchi li invita ad entrare nel suo ▓▓▓▓▓▓▓▓▓▓

2. Giacomo racconta che hanno arrestato il signor ▓▓▓▓▓▓

3. La signora Bianchi si tradisce mostrando di sapere che l'arma del delitto è una ▓▓▓▓▓▓

4. Minaccia Simona e Giacomo con la ▓▓▓▓▓▓

5. La signora Bianchi confessa di avere ucciso il ▓▓▓▓▓▓ Cassi.

6. Il campanello della porta suona. È la ▓▓▓▓▓▓ Valle.

E Giacomo approfitta per prendere la pistola alla signora Bianchi.

14) 31. Ascolta questa traccia audio e scrivi il nome giusto (Giacomo, Simona, la signora Bianchi)

1. In giardino .... e .... si siedono sotto un albero.

2. – Sono vivo grazie a te – dice .... a ....

3. La vocina parla a ....

4. E ...., finalmente, bacia ....

5. .... e .... salgono le scale. Quando passano davanti all'appartamento della ...., la porta improvvisamente si apre.

Attività

32. Rispondi alle seguenti domande.

1. Cosa è cambiato nella vita del palazzo di Via dei Tulipani?

2. Dov'è la signora Bianchi?

3. Per chi non è cambiata la vita in Via dei Tulipani?

33. Trova la parola giusta.

1. *La sessantesima parte di un minuto =*

2. *Messaggio con il cellulare =*

3. *Rapporto con una persona =*

34. Puoi immaginare una fine diversa? Scrivila in tre righe.

Chiavi delle attività

1. 1. F, 2.V, 3.V, 4.F, 5.V, 6. F,

2. 1. musica, 2. vicini, 3. piccolo, 4. grigia, 5. cinquant'

3. alta, bassa, dolce, bella, brutta

4. 2. brutto tempo, 4. lontano, 6. giocare, 8. giovedì

5. 1. scuola, 2. caffè, 3. cinema, 4. amico, 5. casa

6. 1. Quando chiude il supermercato?; 2. A quale piano abiti?/Dove abiti?; 3. Com'è il signor Cassi?; 4. Dove sei andata?; 5. Quanti anni ha?

7. 1. sciopero dei professori (sciopero dei mezzi), 2. fino alle dieci (fino a mezzogiorno), 3. sta sognando (sta dormendo), 4. sta segnando (sta sognando), 5. una brutta cosa (una bella cosa), 6. lo hanno ucciso (ha avuto un incidente)

8. 1. tranquillo, 2. famosa, 3. sveglio, 4. vecchio, 5. interessante

9. 1. curiosa, 2. mezzogiorno, 3. stadio, 4. gridare

10. 1.b), 2.a), 3.c), 4.b), 5.a)

11. **giornalismo**: riprendere con la telecamera, intervistare, scrivere; **polizia**: indagare, interrogare, sospettare

12. 1. invita/uscire, 2. seguono/è, 3. racconta, 4. si alza/dorme

13. Risposte libere

14. 1. piano, 2. cena, 3. vicini, 4. torta, 5. scusa, 6. ognuno

15. 1.e, 2.d, 3.f, 4.g, 5.c, 6.b, 7.h, 8.i, 9.a, 10.l

16. 1. ospedale, 2. moglie, 3. bella, 4. marito, 5. rumore, 6. robusta, 7. grosso

17. 1. strada, 2. vicino di casa, 3. torta, 4. parco, 5. giardino

18. 1.b, 2.c, 3.e, 4.d, 5.a

19. 1. cade, 2. successo, 3. pesa, 4. ha

20. 1. ragazzi, 4. grigi, 6. zucchero, 8. terribile

21. Risposte suggerite: 1. I signori Moreno e la signora Bianchi; 2. Scende in giardino e controlla la gente che entra ed esce; 3. Dietro a un albero; 4. Sì, ma non può fare diversamente perché questo è il lavoro dell'investigatore; 5. No, perché (secondo lui) non è ancora il momento; 6. Simona; 7. Perché i suoi genitori non sanno che è uscita; 8. La signora Bianchi e il signor Moreno insieme

22. 1.c, 2.d, 3.e, 4.a, 5.b, 6.f

23. 1.e, 2.a, 3.b, 4.f, 5.d, 6.c

24. Risposta libera

25. **a.** 1.c, 2.a, 3.f, 4.b, 5.e, 6.d; **b.** la polizia.

26. **a.** 1. grasso (grosso), 2. brutto, 3. aperto, 4. leggero, 5. buono; **b.** senza conoscenza

27. 1.d, 2.c, 3.e, 4.a, 5.b

28. 1. è appena rientrata, 2. comincia a sentirsi stanco, 3. si chiudono gli occhi, 4. Porta una borsa sportiva, 5. si trova il garage, 6. non può vederlo

29. Risposte suggerite: Disegno 1. (Dalla finestra) Simona vede nel giardino il signor Moreno e Giacomo (oppure: ...che il signor Moreno porta sulle spalle un corpo, certamente quello di Giacomo); Disegno 2. Simona telefona alla polizia; Disegno 3. Simona e Giacomo tornano/vanno a casa con i genitori; Disegno 4. Giacomo telefona a Simona; Disegno 5. Giacomo e Simona sono/vanno/si trovano in giardino e qui si baciano

30. 1. appartamento, 2. Moreno, 3. statuetta, 4. pistola, 5. signor, 6. signorina

31. 1. Giacomo/Simona, 2. Giacomo/Simona, 3. Giacomo, 4. Giacomo/Simona, 5. Giacomo/Simona/signora Bianchi

32. 1. Giacomo e Simona escono insieme, 2. in prigione, 3. per la signorina Valle

33. 1. secondo, 2. sms, 3. relazione

34. Risposta libera

Primiracconti è una collana di racconti rivolta a studenti di ogni età e livello. Ogni storia è accompagnata da brevi note e da originali e simpatici disegni. Chiude il libro una sezione con esercizi e relative soluzioni. È disponibile anche la versione libro + CD audio che permette di ascoltare tutto il racconto e di svolgere delle brevi attività.

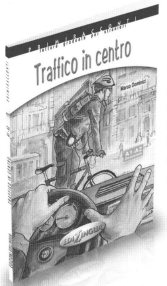

Traffico in centro (A1-A2) racconta la storia dell'amicizia tra Giorgio (uno studente universitario di Legge) e Mario (un noto e serio avvocato) nata in seguito a un incidente stradale. Per Giorgio, Mario è l'immagine di quello che vuole diventare da "grande" e per Mario, al contrario, Giorgio è l'immagine del suo passato di ragazzo spensierato e allegro...

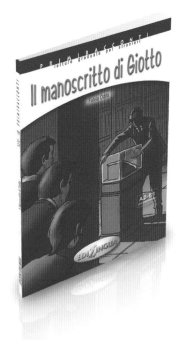

Il manoscritto di Giotto (A2-B1) Chi ha rubato il manoscritto? Il furto di un'opera di inestimabile valore, un trattato sulla pittura che rivela anche un segreto legato al grande artista Giotto, scuote la vita dei giovani protagonisti della storia: uno di loro è il colpevole? Così sembra pensare la polizia e così sembrano dire le prove. Solo l'amicizia che lega i ragazzi tra loro e le attente indagini del commissario Paola Giorgi risolveranno il mistero.

Un giorno diverso (A2-B1) Un bel girono Pietro, un comune impiegato, decide di cambiare completamente vita. Nonostante cambiar vita non sia facile, Pietro, dopo anni e anni di routine, decide di licenziarsi, di aprirsi alla vita e di godersi nuovamente la giornata, facendo colazione al bar, passeggiando per Roma, prendendo l'autobus, affrontando spiacevoli imprevisti, facendo spese. Ed è proprio in un negozio di abbigliamento che conosce Cinzia...

Il sosia (C1-C2) racconta la storia di Onofrio Maneggioni, un importante uomo d'affari che viene rapito una mattina davanti alla sua villa. Almeno così sembra. In verità, dietro il rapimento si nasconde il passato dello stesso imprenditore, che torna a bussare alla porta di Maneggioni per regolare alcuni conti in sospeso... Un racconto avvincente in cui non mancano i colpi di scena che mantengono alta l'attenzione e la curiosità del lettore.

edizioni Edilingua

Nuovo Progetto italiano 1, 2, 3
Corso multimediale di lingua e civiltà
italiana.
Livello elementare-intermedio-avanzato

Nuovo Progetto italiano Video 1, 2
Videocorso di lingua e civiltà italiana
Livello elementare-intermedio

Progetto italiano Junior 1
Corso multimediale di lingua e civiltà
italiana. Livello elementare (A1)

Allegro 1, 2, 3
Corso multimediale d'italiano
Livello elementare-intermedio

Allegro 1
Esercizi supplementari e test di
autocontrollo. Livello elementare

That's Allegro 1
An Italian course for English speakers
Elementary level

La Prova orale 1, 2
Manuale di conversazione
Livello elementare - avanzato

Vocabolario Visuale
Livello elementare-preintermedio

Forte!
Corso di lingua italiana per bambini
(6-11 anni). Livello elementare

Al circo! - Italiano per bambini.
Livello elementare

Collana Raccontimmagini - Prime
letture in italiano. Livello elementare

Sapore d'Italia - Antologia di testi.
Livello medio

Diploma di lingua italiana
Preparazione alle prove d'esame

Scriviamo! - Attività per lo sviluppo
dell'abilità di scrittura.
Livello elementare-intermedio

Primo Ascolto -Materiale per lo sviluppo della comprensione orale.
Livello elementare

Ascolto Medio - Materiale per lo sviluppo della comprensione orale.
Livello medio

Ascolto Avanzato - Materiale per lo
sviluppo della comprensione orale.
Livello avanzato

Una grammatica italiana per tutti 1-2
Livello elementare-intermedio

I verbi italiani per tutti
Livello elementare-intermedio-avanzato

Raccontare il Novecento - Percorsi
didattici nella letteratura italiana.
Livello intermedio-avanzato

Invito a teatro - Testi teatrali per l'in-
segnamento dell'italiano a stranieri
Livello intermedio-avanzato

Mosaico Italia - Percorsi nella cultura
e nella civiltà italiana.
Livello intermedio-avanzato

Collana L'Italia è cultura - Collana in
5 fascicoli: Storia, Letteratura, Geo-
grafia, Arte, Musica, cinema e teatro.
Livello intermedio-avanzato

Collana Cinema Italia
Attività didattiche per stranieri.
Livello elementare-intermedio-avanzato

Collana Formazione

italiano a stranieri
Rivista quadrimestrale per l'insegna-
mento dell'italiano come LS/L2